Entre línies

Marcel Bartumeus

Primera edició, maig de 2010

Disseny: Blanca Hernández

La propietat d'aquesta edició és de
Publicacions de l'Abadia de Montserrat.
Ausiàs Marc, 92-98, 08013 Barcelona

ISBN: 978-84-9883-261-7
Dipòsit legal: B.14.892-2010
Imprès a Tallers Gràfics Soler, S.A.
Enric Morera, 15, 08950 Esplugues de Llobregat

Capítol 1

Al rellotge de paret, l'agulla petita s'acosta al deu. Fa més de vint minuts que l'esperen. A fora, les gotes de pluja fina embruten els vidres. El vent xiula per sota la porta anunciant la tardor. Veient que no arriba, han decidit començar.

—Des d'ahir que provo de parlar amb ell, però no hi ha manera. Sempre em salta el contestador —diu en Terri, després de deixar un nou missatge.
—Ja saps que és molt despistat. Segur que s'ha deixat el mòbil a qualsevol lloc i ni s'ha molestat a buscar-lo —afegeix la Lídia amb cara de resignació.
—Tampoc som la seva mare, nosaltres. Comencem i ja vindrà —diu molest en Pol, que ha arribat el primer.

Els tres companys es tornen a trobar, com cada trimestre, a casa d'en Terri. Els uneix la seva passió per l'escriptura i les ganes de mantenir viva una tradició que ja fa deu anys que dura. Ara tots tenen un cert reconeixement dins el món literari, però això no els impedeix reunir-se per comentar plegats els seus textos i escriure noves històries. Normalment, aprofiten notícies curioses dels diaris per inspirar-se. Un cop escollit el tema, es donen tres mesos per inventar una història que comparteixen després en una nova trobada.

Al principi, quedaven cada vegada en un lloc diferent, però des que en Terri s'ha comprat la casa nova que les reunions són sempre allà. Viu als afores, en un barri residencial de gent rica on mai hi ha ningú pel carrer, excepte els caps de setmana, quan els bars de copes nocturns aconsegueixen reunir el jovent de mitja ciutat. El dúplex, molt espaiós, i en un edifici amb jardí a banda i banda, té garatge per a dos cotxes, piscina i un estudi que ocupa tot l'espai de les golfes. És aquí on els companys es reuneixen, un despatx de trenta metres quadrats, amb el sostre recobert de fusta i les parets plenes de llibres. En un racó hi ha una taula en forma d'angle recte per treballar-hi, amb l'ordinador i tot l'equipament informàtic necessari. A l'altra banda, i ocupant un espai més gran, hi ha la taula rodona al voltant de la qual es reuneixen. Tot plegat, decorat amb estil i molt bon gust. Sens dubte, en Terri és el que més carrera ha fet com a escriptor, tot i que en els darrers mesos passa per una profunda crisi creativa. Alguns amics diuen que la fama li ha pujat al cap, que les ganes de triomfar l'han enfonsat. Veritat o no, el que no es pot negar és que en pocs anys ha passat del no-res a ser un referent de la literatura catalana, i això no sempre és fàcil de saber portar. Se li nota en el caràcter —que se li ha tornat més fort i amarg— i en el físic —l'estrès l'ha fet gran de cop, l'ha deixat calb, amb les galtes xuclades i el cor molt delicat.

En Toti, que tots esperen, també ha fet fortuna. El seu primer llibre va ser un supervendes molt aclamat per la crítica: original, fresc, emocionant..., tot eren elogis per a un escriptor acabat d'estrenar. La fama li va venir aviat i encara viu de l'èxit de la seva primera novel·la. Les altres mai s'han venut tant com aquella. Tot i ser carn i ungla amb en Terri, la fama no l'ha afectat tant com el seu amic. En Toti és alegre i despreocupat i no li treu la son saber que els seus llibres ja no interessen el gran públic.

La Lídia, en canvi, no ha arribat mai tan amunt. El seu marit va desaparèixer i la va deixar sola amb dues nenes d'un i tres anys. Va sacrificar la seva vocació per pujar les filles i ara que ja comencen a ser grans s'ha sumat una altra vegada al grup. Té molt de talent, però no ha pogut desenvolupar-lo. Malgrat tot, el canvi li ha anat de meravella. Als seus quaranta anys, es vesteix com una jove de vint, porta els cabells curts com un noi, tenyits, pèl-rojos, mitja dotzena d'arracades a cada orella, jaqueta de cuir, texans cenyits i botes fosques amb talons. Res a veure amb la dona innocent i reservada que era de casada. Com el caràcter, també la seva escriptura ha canviat, s'ha tornat més directa i ha guanyat en intensitat. Si mai aconsegueix acabar alguna novel·la, els seus lectors ho agrairan.

D'altra banda, en Pol és el que menys ha progressat. Continua escrivint el seu relat trimestral amb els companys però mai ningú, a part d'ells, llegeix les seves històries. La seva literatura és un reflex de la seva forma de ser i de fer: camisa blanca, corbata fosca i americana a joc, sabates Armani de pell i ulleres d'or de Cartier; textos carregats d'adjectius que ja ningú utilitza i històries difícils d'entendre.

—I la Vicky tampoc ve? —pregunta en Pol, impacient.
—Arribarà a mitjanit —respon en Terri—. És a la redacció del diari acabant uns articles per a demà.

La Vicky és l'última del grup. Periodista més que escriptora, molt aficionada a la pàgina de successos dels diaris i un pou d'idees originals per als relats dels companys. No té parella, com la Lídia, però ella mai ha estat casada. Li agrada tant la seva feina que no pot compartir-la amb cap altra persona. En aquests anys, ja li han conegut diversos xicots. Cap d'ells, però, li ha durat més que una notícia en portada. No sap diferenciar la literatura del periodisme, escriu amb presses i comptant les paraules i els espais com quan ho fa per al diari... un estil poc apropiat si pretén fer una novel·la amb cara i ulls, ben escrita i interessant per als lectors.

Mentre es decideixen a començar la reunió, en Terri ha tret alguna cosa per picar. Paté, formatge, embotit, torrades..., tot plegat una mica pobre i poc adient per a una casa tan luxosa.

—Hi ha coses que no canvien mai —diu la Lídia.
—Sí —afegeix en Pol—. On són les tapes de caviar i salmó?

Aviat han començat a córrer el vi i la cervesa, dos dels ingredients indispensables d'aquestes trobades. És quan l'alcohol fa el seu efecte quan surten les idees més originals.

Després de parar taula s'han posat a discutir sobre els relats escrits de l'última vegada. Llavors van decidir provar amb l'humor negre a partir d'un titular de diari, que deia:

Demanen certificar dues vegades una defunció perquè el mort tenia bon color

—I feia bona cara! —va afegir en Terri, entre rialles, quan va llegir la notícia.

L'última vegada, es van trobar la darrera setmana de juliol, just abans de les vacances. Temps de molta calor i poques notícies. Malgrat que a alguns no els agradava gens el tema, tots van acceptar i ara discuteixen animosament les històries que han construït.

—Em sembla, Terri, que tu encara estàs de vacances —comenta en Pol referint-se al relat del seu company—. Això de fer ressuscitar els morts està massa vist. Des d'en Bobby de Dallas que ja no es porta. En què pensaves quan ho escrivies?
—No siguis tan dur amb mi —es defensa ell—. Estic passant una època de sequera creativa molt forta. Fa mesos que no escric res una mica decent.
—No n'hi deu haver per a tant —intenta animar-lo la Lídia.
—Sí, sí que n'hi ha per a tant. Vaig estar a punt de no enviar-vos cap relat i anul·lar la trobada.
—Només era un comentari —es disculpa en Pol—. Tampoc t'ho prenguis així.

D'ençà de la seva darrera novel·la, en Terri no ha escrit res amb prou qualitat per ser publicat. Acabar el llibre que tant li ha costat —gairebé tres anys— l'ha deixat amb una sensació de buidor molt profunda. Ha compartit moltes hores amb uns personatges que han desaparegut de cop i volta en entregar el manuscrit a l'editor. No para de repetir que se sent com un pare que perd el fill de manera tràgica. Ni el baix moment passat en separar-se de la Cesca, la seva dona, s'hi pot comparar. Malgrat tot, encara té l'esperança que els seus companys l'ajudin a recuperar la inspiració mitjançant exercicis d'estil com aquell.

—Deixem estar la tristesa i això del difunt que tenia bon color! —salta en Pol obrint una nova ampolla de vi negre.
—Millor que proposem idees noves —afegeix la Lídia, que tampoc se sentia còmoda amb el tema proposat la darrera vegada.
—Mireu aquesta notícia que vaig llegir la setmana passada —continua en Pol mentre omple les copes.

Jutjat per estafa l'home que tenia «llicència per matar»

—I de què va, això —pregunta en Terri interessat.
—Una dona sense valor per suïcidar-se ofereix seixanta mil euros a un home perquè la mati. L'home fuig amb els diners, però el troben de seguida. Ara el jutgen per incompliment de contracte.

El so del telèfon no interromp les rialles. En Terri s'aixeca somrient per agafar l'aparell. És la Vicky. Se li ha complicat la feina i avisa que no l'esperin.

—Hem de tancar l'edició i falten un parell d'articles —explica—. Estic pendent d'uns arxius i per això no puc marxar.
—És una llàstima —respon en Terri—. En Pol ja ha obert la segona ampolla i el vi corre per casa com les formigues per sota terra.
—En Toti és amb vosaltres? —pregunta ella ignorant el comentari del seu company.
—No. Li he trucat no sé quantes vegades, però no m'agafa el telèfon.
—Posa l'altaveu perquè em sembla que tinc males notícies.

En Terri prem la tecla perquè tothom senti la veu de la Vicky.

—Em sentiu? —fa ella provant.

—Sí que et sentim, però no sé si et volem escoltar —diu rient en Pol.

—Deixa les bromes per a un altre moment i escolta això —replica ella molt seca. «Un grup d'escriptors juga a relatar la desaparició d'un company de professió».

El silenci inunda la sala. Per uns moments, s'han aturat les rialles i tothom ha callat. Només el tic-tac del rellotge indica que el temps no s'atura. Tots es queden de pedra mirant la cadira buida del seu amic Toti. La Vicky continua llegint la notícia sencera.

—Toti Ballesta, l'escriptor famós per la seva primera obra, *La periodista incompetent,* ha desaparegut. Segons agents de la policia, la família del novel·lista va denunciar la seva desaparició dimecres passat. Els seus companys de professió, molt afectats per la notícia, han decidit relatar l'episodi d'aquesta desaparició. «De vegades, la realitat supera la ficció», comenta el grup d'escriptors. «Potser justament ens caldrà la ficció per arribar a la veritat d'aquest cas i trobar el nostre company».

Capítol 2

—Què dius? No pot ser! Es tracta d'una broma, no? —aconsegueix dir en Terri, trencant el silenci.
—Al diari només s'accepten les bromes pels Sants Innocents —respon la Vicky amb un toc d'humor—. Encara falten més de dos mesos per al vint-i-vuit de desembre.

En Terri fa cara de no entendre com la Vicky fa broma en un moment com aquell. De tota manera, prefereix deixar-ho estar i concentrar-se en la notícia.

—Un grup d'escriptors juga a relatar la desaparició d'un company de professió... —repeteix en Terri en veu baixa, pensatiu—. Se suposa que som nosaltres, aquest grup d'escriptors?
—Vols dir que en Toti tenia gaires amics més a part de nosaltres... —contesta la periodista.
—Suposes que és mort? —la talla ell visiblement ofès—. Com t'atreveixes...
—Ho sento, Terri —l'interromp ella—. Estic molt afectada. Pensa que cada dia llegeixo titulars com aquest i t'asseguro que mai acaben gens bé.
—Però aquest no és un titular com els altres. És el d'en Toti, el nostre company. Com pots prendre't aquest article com un més del diari?
—Potser tens raó...
—Es pot saber qui ha parlat amb la premsa en nom nostre? Qui hi ha darrere d'aquest «grup d'escriptors»?

En Terri mira els companys esperant una resposta. En Pol i la Lídia, atemorits per la mirada, fan que no amb el cap. No s'atreveixen a trencar el seu silenci, però amb un petit gest deixen ben clar que ells no tenen res a veure amb la notícia.

—Aquí ningú sap res d'això, Vicky —continua en Terri.

El silenci torna a imposar-se. En Terri rumia al voltant de les paraules de l'article mentre la resta se'l mira amb més temor que interès. Coneixen el seu temperament i tenen por que esclati en qualsevol moment.

—Qui va ser l'últim a parlar amb en Toti? —pregunta en Terri sense donar-se per vençut.
—Probablement tu —respon la Vicky, continuant el diàleg. Ets l'únic que hi parla. La resta, tret d'algun correu electrònic i les trobades a casa teva, mantenim poc contacte amb ell.
—Ara resultarà que només jo conec en Toti! —exclama ell de manera irònica—. Voleu ajudar-me a trobar el nostre amic o tant us fa si és viu o mort?
—Tranquil, Terri. Tots estem fent el possible per saber on buscar-lo. El millor és...
—Qui signa l'article? —la talla ell, creient saber com començar la investigació.
—Ve de l'agència de notícies. No sabem qui n'és el redactor.
—Hi ha manera de saber-ho?
—Puc provar-ho. De tota manera, encara que esbrini qui l'ha escrit no podré parlar-hi fins demà.
—Collons de diari! Com podeu deixar que es publiquin mentides com aquesta sense saber qui les escriu? És que no hi ha ningú que porti un control?
—No t'alteris, Terri. La desaparició d'en Toti no té res a veure amb el funcionament del diari. Cada dia es publiquen centenars de notícies. Algunes certes, d'altres no tant, però totes amb fonaments. Si l'agència ha passat aquesta notícia és perquè té indicis prou clars per fer-ho.
—L'únic que té és molta imaginació.
—La policia certifica la desaparició, no ho oblidis. A més, hi ha una

denúncia per part de la família. Quantes proves més vols per acceptar que en Toti no hi és?
—No dubto que no hi sigui. Però que posin en boca nostra que juguem a relatar la seva desaparició em sembla una broma de molt mal gust.
—Segur que és un malentès. Però això no treu que en Toti...
—Mesura les teves paraules, Vicky. Quan et refereixes a ell sembla que parlis d'un mort.
—No tinc per què aguantar la teva insolència —respon ella cansada. No ets l'únic afectat per la notícia, saps?

La Vicky, molesta pels comentaris d'en Terri, penja el telèfon sense acomiadar-se'n. En Pol i la Lídia se'l miren esperant la seva reacció. Se'l veu furiós, amb la cara vermella i la suor marcant-li les arrugues del front. Com ja es pensaven, els vomita de mala manera tota la ràbia continguda.

—I vosaltres, què mireu?

Els dos companys es miren sense badar boca, no s'atreveixen a dir res.

—És que se us ha menjat la llengua el gat? Encara és hora que digueu la vostra. D'en Pol no me n'espero res, però de tu, Lídia... O penses també com la Vicky, que ja ens podem anar acomiadant de trobar en Toti amb vida?
—És millor que marxem —respon la Lídia—. Potser demà ho veurem tot més clar.
—Això, marxeu, foteu el camp de casa meva!

Els dos companys s'aixequen de pressa de la cadira i es dirigeixen, escales avall, cap a l'entrada. No esperen que en Terri els acompanyi a la porta ni que els porti els abrics.

—I no cal que torneu! —els escridassa mentre encara són al rebedor, posant-se les jaquetes—. Ja el buscaré tot sol, el meu amic!

En Terri es queda a la porta del despatx veient com marxen. Respira amb profunditat, esgotat i cansat pel mal humor i amb els ulls plorosos de ràbia. El seu millor amic ha desaparegut i ningú sembla tenir el més mínim interès per trobar-lo.

Mira l'hora. Gairebé les dotze. Sense pensar-s'ho dos cops, agafa el telèfon i marca un número. Després d'uns quants tons, algú parla a l'altra banda.

—Perdona, Clara... t'he despertat?
—La veritat? —pregunta ella amb veu mandrosa però irònica.
—Per què no me n'has dit res?
—Vaja... veig que ja te n'has assabentat —respon ella entre badalls.
—El diari diu que vas posar una denúncia dimecres passat. Es pot saber quant fa que en Toti ha desaparegut?
—Diumenge ja no va venir a dormir a casa.
—D'això ja fa cinc dies! —s'exalta ell—. Per què ens ho has amagat?
—Mira, Terri. Estic molt cansada. Ara no és moment de donar explicacions, i menys per telèfon. Vine demà i en parlem amb calma.
—Però com pots estar tan tranquil·la? El teu marit ha desaparegut i tu, adormida com un soc. Que a ningú li corre sang per les venes, ja?
—No ho repetiré dues vegades, Terri. Vine demà i en parlem. No sé què explica el diari, però segur que no és res comparat amb el que has de saber. Et va bé a les cinc, per fer un cafè?
—Ni parlar-ne! A les vuit del matí seré a casa teva com un clau.
—A les vuit?
—Si dorms vindré a treure't del llit, si cal. Dóna gràcies que no m'hi planti ara mateix, a casa teva.

La Clara dóna la conversa per acabada i penja el telèfon. En Terri es queda amb l'auricular enganxat a l'orella —ja és la segona vegada que li pengen el telèfon, aquesta nit— escoltant el seu to constant, homogeni i pausat com la reacció de tots els que han conegut la notícia. O tothom sap més del que explica o a ell se li escapa alguna cosa. Potser s'exalta amb massa facilitat i el millor és deixar el cas en mans de la policia..., però per més que hi pensa no pot entendre com és que ningú s'ha immutat davant els fets.

Què sap la Clara que no ha volgut dir-li per telèfon? Esperar fins demà per saber-ho li sembla una eternitat. Com també li sembla molt de temps esperar que la Vicky contacti amb el redactor de la notícia. Massa preguntes a l'aire i una nit per endavant que pot ser molt llarga.

Encara pensatiu, surt del despatx en direcció a la seva habitació. El llit, encara per fer, i la roba sense endreçar, la pols per tot arreu... li recorden que la dona de fer feines avui no hi ha anat. Amb dos cops per setmana —els dilluns i els dijous— no n'hi ha prou. Potser l'haurà de contractar cada dia. Ell, tot sol, amb tantes coses que té al cap, no pot fer-se càrrec d'una casa tan gran: planxar, endreçar els papers, netejar els vidres, escombrar... El buit deixat per la Cesca es nota més a fora que dins el seu cor.

Obre el primer calaix de la tauleta de nit i en treu una petita ampolleta. Està massa nerviós per ficar-se al llit. L'obre amb compte i en treu un parell de pastilles petites de color vermell. No li cal ni aigua per prendre-se-les. Després de tants anys, ja en té la mida presa. Ahir, buscava en la petita ampolleta la inspiració per tornar a escriure un llibre com el darrer. Avui, hi busca la força i l'energia suficients per trobar el seu company desaparegut. Vés a saber per quin motiu en un futur haurà de prendre's aquelles maleïdes pastilles cada nit!

Capítol 3

Les pastilles no han fet gaire efecte i des de quarts de sis en Terri està donant voltes pel llit. Haurà d'augmentar-ne la dosi..., però no és això el que el preocupa. Està neguitós intentant lligar caps, pensant en la darrera vegada que va parlar amb en Toti. No recorda cap comentari ni cap actitud del seu amic que l'ajudi a entendre el cas. I si l'han segrestat? —se li escapa un somriure...— això no és Hollywood. Ha tingut algun accident? —poc probable en algú que està tot el dia enganxat a l'ordinador i no surt de casa ni que hi calin foc. O potser s'ha pres uns dies lliures i ha decidit fer una escapada?

En Terri s'aixeca fart d'escalfar els llençols. L'insomni el desespera. Es vesteix de pressa, gairebé a les fosques, i marxa de casa sense esmorzar. Té un nus a la panxa i no li entra ni un tallat: la llet seria com una puntada de peu a l'estómac i el cafè, una bomba de rellotgeria per als nervis.

Surt de casa. El matí és fresc i humit. La pluja ha caigut fins a altes hores de la nit i els carrers encara són mullats. Els arbres deixen caure l'aigua acumulada a les fulles, mentre la terra, força seca dels mesos d'estiu, la rep agraïda.

Quan està a punt de pujar al cotxe —l'Smart negre que es va comprar l'any passat— s'adona que una roda està desinflada i el retrovisor trencat. «Maleït sigui, només em faltava això», murmura. Ben a prop d'allà, hi ha una zona d'oci nocturn que s'omple de joves les nits del cap de setmana. Els agents municipals l'han advertit més d'una vegada que, per seguretat, és millor guardar el cotxe dins el garatge, sobretot les nits de dijous, divendres i dissabte. Però ell, tossut com una mula, fa menys cas dels policies que de les promeses dels polítics en campanya electoral. Qui més qui menys, al veïnat, ja ha rebut les conseqüències de les bretolades dels joves que, a certes hores de la nit, es distreuen trencant vidres o buidant els contenidors de les escombraries al mig del carrer. Finalment, li ha tocat el rebre a ell.

«D'això, ja me n'ocuparé dilluns», pensa. Obre la porta del garatge i agafa l'altre cotxe, un tot terreny de grans dimensions que el fa sentir l'amo de la carretera.

De baixada cap a la ciutat, sent una buidor molt forta dins seu. Encara és de nit. Els fanals il·luminen uns carrers per on no passa ningú. Al barri no hi ha botigues ni activitat comercial; tampoc és zona de fàbriques ni magatzems. A banda i banda dels carrers, només hi ha torres luxoses i grans mansions. Tan sols la ràbia dels gossos que les defensen a mossegades trenca el silenci. Els joves ja han acabat la gresca —algunes ampolles buides a les voreres ho fan notar— i els adults encara no s'han llevat. És dissabte i la ciutat es desperta mandrosa mentre que ell, amb prou feines, ha pogut tancar els ulls en tota la nit.

S'atura en un semàfor i baixa del cotxe sense apagar el motor. El quiosc acaba d'obrir i el dependent s'afanya a endreçar la parada. Apila paquets i fascicles a gran velocitat: dels diaris d'avui amb els seus suplements de cap de setmana a la col·lecció de vaixells en miniatura, passant per la premsa del cor i les revistes de música, de motos i de noies de molt bon veure, amb poca roba. En Terri, sense pensar-s'ho gaire, compra dos diaris i els fulleja allà mateix. Un accident d'avió al Pakistan on han mort desenes de persones, un afer de corrupció que esquitxa alts càrrecs del govern anterior i un informe d'UNICEF que denuncia l'explotació infantil als països de l'est. Com de costum, cap bona notícia per alegrar el dia.

Passa les pàgines molt de pressa, sense fixar-se en les desgràcies que afecten el món. Busca del dret i del revés, mira els grans titulars i les columnes més menudes: ni una notícia de la desaparició. Tampoc en troba cap referència als articles d'opinió ni a la secció de cultura. De la desaparició del seu amic, res de res. Compra un tercer diari de línia més conservadora. «Potser aquests en diuen alguna cosa», pensa. Deuen estar contents d'haver perdut en Toti de vista, ell que amb les seves declaracions sempre deixava la dreta en evidència. Però ni aquests en diuen res. Excepte una petita columna al diari de la Vicky, la desaparició d'en Toti ha passat desapercebuda pels mitjans de comunicació. Més per fer temps que per rebatre aquesta certesa, puja al cotxe i engega la ràdio. Com era d'esperar, i després de mitja hora repassant l'actualitat, cap comentari al butlletí de les notícies. En Toti ha desaparegut i sembla que només la Clara, la seva dona, en sap alguna cosa.

Després de donar alguna volta més amb el cotxe, en Terri arriba a casa de la Clara. Ha de trucar diverses vegades abans que l'obri. Com ja s'imaginava, el rep amb camisa de dormir, els ulls inflats, tota despentinada i badallant.

—Es pot saber què hi fas aquí? —li pregunta sense gairebé obrir els ulls.
—Hem quedat a les vuit, que no ho recordes?
—Encara falten deu minuts, Terri —respon ella tancant-li la porta als nassos.

Ell, més sorprès que enfadat, torna a trucar enèrgicament. Però no li cal insistir gaire; la porta s'obre, a poc a poc, al primer toc. Quan ja és oberta del tot veu la Clara al fons del passadís, arrossegant els peus camí de la seva habitació. Sense ni tan sols girar-se li diu que es posi còmode, que ella surt de seguida.

La casa és bastant fosca. A fora ja es fa de dia, però amb tot tancat cap fil de llum hi pot entrar. El canvi de temperatura entre el pis i l'exterior també es nota molt. La decoració, molt carregada, accentua les sensacions d'angoixa i foscor. Qualsevol racó de la casa és bo per desar-hi llibres, que inunden les parets com els quadres al museu d'art contemporani. També el terra és fosc, cobert de catifes portades del Marroc, de Turquia i de l'Índia. Malgrat que en Toti i la

Clara no viatgen gaire —per no dir gens—, es fan portar els millors regals dels llocs més llunyans. Les catifes són una mania d'en Toti. Diu que protegeixen els llibres, que no agafen la pols perquè les catifes se l'emporten tota.

En Terri arriba al menjador i s'asseu al sofà on el seu amic passa la major part del seu temps. En Toti reparteix les hores de feina entre aquest sofà i la cadira de l'ordinador, entre llibres que llegeix sense pauses i recerques per Internet, que li cansen la vista. És més bon lector que escriptor, per això només ha publicat quatre llibres en els darrers deu anys. En Terri creu que no cal informar-se, que cal ser més atrevit, provar i arriscar-se. Però en Toti encara té molta por al full en blanc i prefereix documentar-se bé abans d'escriure cap línia. I això, per bé o per mal, es nota en les seves obres. Per fer *La periodista incompetent* va passar-se mig any acompanyant la Vicky a la feina —i no perquè ella fos incompetent, és clar. Semblava el seu estudiant en pràctiques. Quan la redacció del diari ja se li feia petita va insistir fins a aconseguir el passi per accedir als llocs reservats a la premsa. A partir d'aquell dia, visitava el Parlament, els jutjats i les Delegacions del Govern Central a Catalunya dia sí, dia també. Un gran treball de camp que va tenir la seva recompensa en la primera novel·la, però que ja mai més li ha donat els mateixos resultats.

Recordant la seva manera d'escriure, li costa entendre què és el que els uneix. Són com la nit i el dia, ell nerviós i impacient, de vegades una mica impertinent i, sobretot, hipocondríac. En Toti, en canvi, tranquil, feliç i distret com mai n'ha conegut cap altre. De vegades, es pregunta d'on va treure la força de voluntat i la paciència per escriure *La periodista incompetent*. Tan despistat que és per a unes coses i tan responsable que pot ser per a unes altres.

Després de mitja hora esperant, per fi apareix la Clara. El seu aspecte és tot un altre. S'ha dutxat i encara té humides les puntes dels cabells. Porta una brusa de color vermell cirera sense mànigues, força escotada, i uns texans gastats que li marquen les corbes. S'ha tret aquelles sabatilles en forma de tigre que arrossegava pel passadís i s'ha posat unes xancletes, com qui va a la platja. Amb el microclima que ha creat a casa —tot tancat i amb la calefacció posada— no sap que a fora el cel està ennuvolat i que la temporada de bany ja fa setmanes que ha acabat.

—Vols un cafè? —pregunta ella.
—Millor una infusió —respon—. Crec que m'anirà bé per calmar-me una mica.
—Ioga és el que necessites, per als teus nervis.
—I deixar les pastilles, no? —respon ell, amb ironia—. No tornem a començar, Clara.

De sempre, la Clara intenta, sense èxit, canviar-li els hàbits de vida. Ella li canviaria el metge i tots els especialistes per l'acupuntor i una teràpia amb flors de Bach. En Terri, però, no creu en les agulles ni en les flors com a mètodes per relaxar-se.

Sense ànims de «tornar a començar», com diu ell, la Clara va cap a la cuina. Ell no es queda amb els braços plegats al sofà i la segueix. No pot esperar com si res que la Clara es digni a parlar.

Com la resta de la casa, també la cuina és plena de llibres, en aquest cas de receptes: carn amb bolets, amanides, peix al forn...

—M'agrada cuinar, ja ho saps —diu la Clara mirant com ell fixa la vista en les gambes amb xocolata que fan de portada d'un dels llibres.

També ell, de solter, era un gran amant de la cuina. De fet, era l'afició que compartien quan es van conèixer i la que els va unir de manera especial. Però com moltes aficions, també aquesta l'ha perdut amb el temps.

—Es pot saber quanta estona més em tindràs en suspens? —respon ell, ignorant el comentari de la Clara i les seves reflexions—. Per si ho has oblidat, et recordo que en Toti fa gairebé una setmana que ha desaparegut.
—Ho sé perfectament, Terri. Per qui m'has pres?

Després de servir-li la til·la i posar-se un cafè ben carregat, accedeix a explicar-li tot el que sap.

—Diumenge vam discutir molt fort, amb en Toti.

—I què hi ha de nou, en això. No és la primera vegada ni serà l'última.
—No ho sé si serà l'última. Ens vam dir coses molt gruixudes, que un cop dites ja no tenen marxa enrere.
—I per què discutíeu?
—Pots comptar, per qualsevol bajanada. Això no té cap importància. La qüestió és que ell ha marxat i no sé si tornarà.
—Però on vols que vagi. Si no surt del barri per a res.
—Al principi, pensava que seria com sempre. Una discussió com qualsevol altra. Tornarà d'aquí a un parell d'hores i tot arreglat, pensava. Però en veure que era mitjanit i no venia a dormir...
—I no vas pensar que potser era a casa, amb mi?
—No volia molestar-te una altra vegada amb les nostres baralles.
—Però, en canvi, sí que has molestat la policia?
—En Coma, l'editor, m'hi ha obligat.
—I amb el diari, qui hi ha parlat?
—Ni idea. L'últim que busco és un escàndol.

La Clara s'atura un moment per respirar. La veu li surt apagada i li costa expressar el que sent.

—Només vull trobar-lo per fer-hi les paus i oblidar aquest malson —continua al final, començant a plorar.
—Tranquil·la, Clara —fa ell abraçant-la—. Jo t'ajudaré a buscar-lo. No pot estar amagat gaire lluny.
—I per on penses començar a buscar? —fa ella eixugant-se les llàgrimes.
—Primer aniré a la policia, a veure si els puc ajudar o em poden donar alguna pista.
—No, la policia no! —exclama ella alterada.
—Hi ha cap problema?
—Prefereixo tenir-los allunyats del cas.
—Però si ja has denunciat la desaparició. Com vols apartar-los, ara?

La Clara abaixa el cap. En Terri, amb el dit índex, li alça la barbeta i la mira fixament als ulls. Les llàgrimes no esborren la mentida.

—Què m'has de dir, Clara?
—Promet-me una cosa.
—El que vulguis —respon ell amb rapidesa.
—Que no faràs més preguntes.
—Si vols que trobi el teu marit, bé hauré de tenir tota la informació disponible.
—El motiu de la nostra discussió no és rellevant. En tot cas, la policia creu que discutíem per temes de parella, i ja em va bé que s'ho cregui. És per això que no la vull veure rondar per casa fent preguntes.
—És per un tema de diners?
—Deixem-ho així, entesos?
—Evasió d'impostos?
—M'has promès que no faries més preguntes.
—D'acord, Clara. De moment no hi insistiré, però si més endavant necessito saber més coses...
—No et caldrà. Segur que el trobaràs de seguida, abans que canti un gall.

La Clara torna a abraçar en Terri i li fa un petó a la galta. Ell sent la dolçor dels seus llavis a la pell, barrejada amb l'amargor de la conversa. Buscar el seu amic sense conèixer els motius que l'han portat a fugir no serà una feina gens fàcil.

Capítol 4

La Clara i en Terri s'acomiaden. «Em tindràs informada si descobreixes alguna cosa?», li pregunta ella. «I tu, a mi?», respon ell. En Terri baixa les escales, surt del portal i agafa el cotxe de camí cap a casa. Finalment, la ciutat s'ha despertat. Els nens petits ja juguen pels carrers mentre els pares passegen tranquil·lament per places i parcs com només ho saben fer durant els caps de setmana. Els núvols s'han trencat i l'ambient és força agradable. Potser la Clara no estava tan equivocada amb el vestir i algú encara s'atrevirà a fer l'últim bany de temporada.

Només arribar a casa, en Terri engega l'ordinador per repassar els darrers correus rebuts d'en Toti. Ha d'anar tres pàgines enrere per trobar-ne un. És de fa deu dies. Quan ho veu a la pantalla s'adona que mai fins ara han estat tants dies sense saber res l'un de l'altre. Mantenien un contacte continu, encara que de vegades alguns missatges es limitaven a acudits i històries d'aquestes que corren per la xarxa i que en Terri llençava a les escombraries sense ni obrir.

Però com li va passar per alt? Com no va adonar-se que en Toti feia dies que no li enviava res? I més, tenint pendent la trobada d'ahir amb els companys. Estava tan capficat en la seva crisi d'idees que no es va adonar que el seu amic desapareixia. «De vegades», pensa en Terri, «la literatura ja ho té, això. T'allunya tant de la realitat que acabes vivint en una dimensió paral·lela. Et refugies en el teu món de fantasia i són les desgràcies les que et fan tocar de peus a terra de cop». I aquesta vegada, la desgràcia apareixia en forma de pèrdua per centrar-lo, un altre cop, en la vida real.

Després de repassar els últims set o vuit correus es dóna per vençut. Cap indici de les intencions de desaparèixer d'en Toti. Res de diners ni de discussions amb la Clara. Cap comentari, cap pista, cap paraula. Això vol dir que no ho tenia previst? Que no va programar la seva fugida? Que va discutir amb la Clara i va marxar sense saber on anava? O tot el contrari. Que ja feia dies que la idea li ballava pel cap, però ho mantenia en secret per no ser descobert.

Aquesta segona possibilitat el deixa amb la moral molt tocada. Creia que amb en Toti els unia una amistat inseparable, però comença a dubtar-ne. Si els amics no hi són per donar-se suport en moments difícils, quin sentit té la relació?

A la safata d'entrada, arriben dos nous missatges. Un és justament de la Clara, que potser es penedeix de no haver-li dit tota la veritat. L'altra de la Vicky, que ja deu saber alguna cosa del periodista que signava l'article. Al final, però, ni una cosa ni l'altra.

La Vicky, després de donar-hi moltes voltes, diu que li serà impossible contactar amb el periodista. Els de l'agència de notícies diuen que aquesta persona —ni tan sols li han volgut dir si era home o dona— ja no treballa per a ells. Justament ahir va ser el seu últim dia de feina i no estan autoritzats a revelar les seves dades.

En Terri, amb uns ulls oberts com unes taronges, agafa el telèfon.

—Hola, Vicky. Acabo de llegir el teu correu.
—Quina mala sort, oi?
—Mala sort la seva. Si el periodista aquest es pensa que pot signar notícies així i esfumar-se com si res, ho té clar amb mi.
—Què penses fer? L'agència no en vol saber res.
—Els denunciaré per mentiders i ja veurem si aleshores col·laboren o no! —diu alçant el to de veu.
—Vols dir que no en fas un gra massa, que no exageres?
—Exagerar? De moment és l'única pista que tinc. No penso deixar-la escapar així com així —comença a irritar-se.
—Espera't abans de posar cap denúncia. Avui és dissabte i a l'agència no hi ha gaire gent treballant. Dilluns ho tornaré a intentar. Tinc un parell de companys allà que potser ens podran ajudar.

—Tu també fas com la Clara? —ja histèric—. Us heu posat d'acord a deixar-ho tot per a l'endemà o què?
—Què li passa a la Clara?
—Ja pots posar-te ara mateix a buscar aquests companys —diu ell sense respondre la pregunta—. Sembla que no us en vulgueu adonar. Cada dia que passa, en Toti és una mica més lluny de nosaltres.

En Terri penja l'auricular sense esperar resposta, orgullós de ser ell, per una vegada, qui deixa la Vicky amb la paraula a la boca. No vol sentir més excuses ni retardar més la recerca. Cal actuar amb la màxima rapidesa possible.

La conversa amb la Vicky, però, l'ha posat nerviós. El cor li va a cent per hora i li costa respirar. S'exalta amb massa facilitat, però per més que el metge l'hi diu, no pot controlar-se. Potser li caldrà un nou ensurt per adonar-se'n. El petit infart de fa cinc anys ha quedat massa llunyà en la seva memòria. D'acord que eren altres temps, que acabava de separar-se de la seva dona i que amb el ritme de vida que portava el mínim que li podia passar era tenir una aturada de cor.

Sembla mentida, però, amb quina facilitat ha oblidat tot aquell patiment. «Et convindria un canvi», li repetia el metge. «Potser deixar de treballar tant», li deia la Cesca, que tot i la separació, l'anava a veure a l'hospital cada dos o tres dies. Ell creia que tornarien a estar junts un cop recuperat, però ella només actuava moguda per un sentiment de forta culpabilitat... No es podia perdonar pensar que potser la separació tenia a veure amb l'infart. Un cop fora de perill —els metges així ho asseguraven— ella va deixar d'anar a l'hospital, i va donar per acabada la seva relació definitivament.

Les promeses que es va fer després de sortir de l'hospital, però, han quedat en no-res. El peix bullit i les verdures a la planxa que menjava al principi ara s'han transformat en una dieta digna per engreixar porcs. La copeta de vi negre dels àpats, ara són combinats que sobrepassen de molt les taxes d'alcoholèmia permeses. I la mitja pastilla que prenia per adormir-se ja és un somnífer prou potent per fer dormir un cavall salvatge en època de zel. I el pitjor de tot és que perd els nervis per un amic que potser ja no es mereix ser-ho. Que ha decidit marxar de casa sense dir-li res. Que es discuteix amb la dona i és incapaç d'anar-l'hi a explicar. Que potser passa per greus dificultats econòmiques i no li demana diners, a ell que n'hi sobren. Que no hi confia per a res i que ja no té clar si mai ho ha fet.

Obre el correu de la Clara per deixar de pensar en en Toti —una estratègia de dubtosa eficàcia, pensa amb un lleu somriure als llavis. Tampoc ella li escriu el que es pensava que li diria. Lluny de donar-li nova informació del cas, l'enreda encara una mica més.

> Hola, Terri,
>
> Volia donar-te les gràcies per haver vingut aquest matí. Per ser al meu costat en el moment que t'he necessitat. La desaparició d'en Toti m'ha afectat molt i gràcies a tu m'he adonat de la meva reacció estúpida. Ha estat un error no comptar amb tu des del primer moment i per això et demano disculpes. Sé que no t'he dit tota la veritat i que t'amago informació, però creu-me, saps tot el que cal per trobar en Toti. Confio en tu plenament. Perdona si en algun moment has sentit que desconfiava de tu. Ara veig que he estat molt beneita.
>
> Una abraçada i un petó molt forts,
>
> Clara

En Terri es desfà amb aquestes paraules. Tot el nerviosisme i l'exaltació es calmen com la mar després d'una tempesta. Potser val més un correu electrònic escrit amb delicadesa que totes les pastilles juntes que s'ha pres per calmar els nervis en els últims anys. Ara bé, si tenia dificultat per entendre els motius que han portat en Toti a desaparèixer ja només li faltava això. Com algú, amb dos dits de front, pot separar-se d'una dona com la Clara? Se li torna a escapar un somriure, aquest cop una mica més pronunciat. «Només una persona com en Toti», pensa, «és prou especial per fer-ho».

Capítol 5

El cursor, intermitent, fa pampallugues davant seu. És estrany veure un escriptor amb experiència com en Terri davant del full en blanc sense saber què dir. Se sent com un principiant, com quan començava a somiar de guanyar-se la vida inventant històries. Escriu tres paraules, les llegeix un parell de vegades, del dret i del revés; espera pensatiu un moment i les esborra. Ho torna a intentar i no se'n surt. Pensava que era en Toti qui tenia pànic al full en blanc. «Potser ho fa la Clara, que tots agafem aquesta mateixa por», pensa en veure's incapaç de lligar una frase. Finalment, i després de molts intents, aconsegueix respondre el missatge.

Estimada Clara,

Sóc jo qui t'he de demanar disculpes. He estat una mica brusc en alguns moments, però ja saps que m'irrito amb facilitat. Espero que em perdonis. A mi també m'ha afectat molt la desaparició d'en Toti. És com un germà per a mi, ja ho saps. La Vicky no aconsegueix contactar amb el periodista que ha escrit l'article. Sense això, no sé com continuar. Sortiré a caminar a veure si em ve la inspiració. Les parets de casa em cauen al damunt i tot i el cansament no puc dormir. Si trobo alguna pista t'ho faré saber de seguida.
Una abraçada molt forta,
Terri

PD: Me'n vaig a mercat. No puc treure'm del cap aquelles gambes amb xocolata del teu llibre de receptes.

Un cop enviat el missatge, apaga l'ordinador. Els ulls li couen i té el cap espès com un lluitador de boxa tombat al primer assalt. El mercat és a vint minuts de casa. Li anirà bé sortir per aclarir idees sobre el cas. Centrat en en Toti deixarà de pensar en la Clara... una altra estratègia de dubtosa eficàcia, per variar.

Camina mirant a terra, capficat i absent de tothom que passa pel seu costat. Ni els cops de bastó d'un cec li fan alçar la vista. Poc després, un cotxe frena bruscament davant seu. Els crits i els insults se senten tres illes de cases més enllà. En Terri tot just aconsegueix mirar el conductor amb el mateix menyspreu que els adolescents tracten els seus pares quan no els deixen sortir. Només les primeres olors que vénen de les parades del mercat fan que torni en si. També la multitud de gent que s'hi aglomera remenant la fruita el desperta de la seva observació.

El mercat és una antiga fàbrica modernista adaptada ara fa deu anys. N'han conservat les xemeneies i les torres laterals i han restaurat tot l'interior amb estructures de vidre i alumini d'últim disseny. La ciutat ha crescut molt en els darrers temps i també els serveis han hagut de créixer per arribar als veïns acabats d'instal·lar. A fora, s'hi barregen les fruites i les verdures amb les gitanes que venen roba i complements per a la llar, mentre que a dins hi ha el bar, el quiosc, més fruites i verdures, el forn, la carn i, al mig, com és habitual, el peix fresc acabat de pescar.

Només acostar-s'hi veu com una dona negocia amb el venedor el preu dels enciams. «Si me'n quedo tres, a quant me'ls deixa?», li pregunta. L'altre vol saber si els plàtans vénen de les Canàries o de l'altra punta de món. Un jove amb aspecte descuidat espera el moment oportú per endur-se unes pomes sense pagar.

En Terri es proposa comprar una mica de fruita i de verdura, i les gambes per fer el dinar. La dona de fer feines també s'ocupa de la compra, així que no li cal carregar gaire el cistell. Mig quilo de pomes i mig de peres, uns tomàquets, un enciam i unes figues, la seva debilitat.

—Qui és l'última? —pregunta en arribar a la parada de peix.

—Servidora —respon una senyora de mitjana edat que porta una jaqueta de quadres escocesos passada de moda.

Com que fa temps que no va al mercat, es fixa en allò que demanen les persones que van davant seu. Sembla que el lluç avui és a bon preu i que les sardines són molt fresques; de Sant Carles de la Ràpita, diu el rètol que també marca el preu. Però ell té clar que farà les gambes amb xocolata del llibre de la Clara, que per això ha baixat a mercat després de mesos de no anar-hi.

Després de fer un quart d'hora de cua —han passat quatre dones abans que ell— li arriba el torn. Abans de demanar, però, es fixa sorprès en el carro que duu la senyora de la jaqueta de quadres escocesos. «Hi ha més peix que a l'Aquàrium», pensa. «Més que un marit, deu tenir una balena, a casa».

—Què hi posarem? —li diu la dependenta eixugant-se les mans plenes de tinta dels darrers calamarsos que ha venut.

Ell es queda amb la boca oberta, incapaç d'articular cap so. Després d'uns segons, la noia torna a insistir, cridant més fort.

—Que què posarem, li deia!

En Terri té la mirada perduda més enllà, travessant la dependenta i fixada en un punt llunyà del passadís central del mercat.

—Senyor, que em sent? —segueix provant la noia, que comença a perdre la paciència.

A hores d'ara, tothom s'ha girat per mirar-lo, esperant una reacció que no arriba. Ningú sap què li passa, però no sembla que estiguin disposats a esperar per saber-ho. Si més no, la dependenta, que farta de treballar els dissabtes, crida «el següent, sisplau?».

Les paraules de la noia semblen que han fet efecte. Han estat l'estímul que necessitava en Terri per reaccionar. Arrenca a córrer passadís avall cridant com un posseït. És ell. L'ha vist. No hi ha dubte. Amb la barba una mica més llarga, però inconfusible. Tots preocupats per saber on era i ell passejant-se pel mercat com si res. «Com pot ser?», pensa mentre comença a córrer darrere seu.

Dues passes més enllà, però, en agafar el primer revolt, surt disparat a terra contra la columna de llibres de butxaca que hi ha a la porta del quiosc. El gel de les parades de peix l'ha fet relliscar com en una pista de patinatge. La columna de llibres li ha caigut al damunt, mentre les peces de fruita que duu s'escampen rodolant en totes direccions. Les figues, ja madures, s'aixafen, li taquen la roba i li embruten els cabells. També *La Divina Comèdia* i *El Quixot* surten malparats de l'accident. El quiosquer i un parell de persones més s'hi acosten per ajudar-lo. Ell, però, s'aixeca com pot, s'espolsa les fulles d'enciam que té a la camisa i surt corrent sense donar les gràcies ni demanar perdó. Té en Toti a tocar i no pensa perdre l'oportunitat de trobar-lo.

Però el mercat, dissabte al matí, està més ple de gent que l'estadi de futbol els dies de partit d'equips rivals. Centenars de persones van amunt i avall omplint els carros, vigilant que els nens no es perdin i parlant amb comerciants i veïns.

—Toti! Toti!—va cridant en Terri mentre es fa lloc, a cops de colze, entre la gent.

Tot i cridar molt, el soroll de la plaça fa que els seus crits gairebé no se sentin. Tothom fa la seva sense parar atenció a la desesperada cursa d'en Terri. El carnisser talla uns talls de vedella, mentre el cambrer serveix un cafè amb llet a un home amb cara de pomes agres, que sembla estar molt avorrit. Amb les corredisses, en Terri atropella una senyora que fa cua al forn i tomba un carro ple de fruita que algú ha deixat sol. Algunes persones l'escridassen en veure'l passar d'aquella manera, fins que un home, alt com un Sant Pau, li barra el pas i el fa caure a terra.

—No suporto els lladres com tu! Si no tens diners per menjar, treballa com ho fem la resta, gandul! —li crida mentre ell es recupera del cop.

La gent l'envolta i reclama justícia.

—Que torni el que ha robat! —diu una senyora.
—Que li tallin les mans, com feien abans! —proposa un senyor.

Després de molt insistir, i de buidar-se les butxaques per demostrar que no porta res amagat, aconsegueix fer-los entendre la confusió. Mig marejat pel cop fort que ha rebut i avergonyit per l'espectacle, surt a fora amb l'esperança de trobar el seu amic. Però sobretot per fugir de la gent que encara l'insulta. Amb gran esforç camina al voltant del mercat com qui fa la darrera volta a l'estadi després de la marató. Esgotat, marejat i atabalat s'asseu en unes escales; el seu cor mai ha estat el d'un esportista.

Mentre es refà, molts interrogants li ballen pel cap. No en té cap dubte. Segur que era ell. El que ja no entén és què hi feia allà. «Ha marxat de casa per instal·lar-se al barri del costat?», es pregunta. «I si és així, a casa de qui està vivint?».

Encara mig ofegat, respirant amb dificultat, agafa el mòbil i truca a la Clara. Ella respon de seguida.

—No t'ho creuràs. Acabo de veure en Toti al mercat.
—Què? —fa ella sorpresa—. I què t'ha dit? On s'està? Quan pensa tornar? —continua preguntant ella desesperada.
—Tranquil·litza't, Clara. No hi he pogut parlar.
—Però, com que no hi has parlat? —pregunta ella amb perplexitat.
—Se m'ha escapat.
—Ha marxat corrent quan t'ha vist?
—No ben bé. És una història una mica llarga. Diguem que, pel camí, quan l'anava a trobar, he tingut un seguit de contratemps que m'han impedit arribar-hi.
—I ara, què?
—No ho sé, però en tot cas, no està tot perdut. Ell no m'ha vist, o és el que em penso. Així que juguem amb avantatge. Sabem que corre pel barri. No trigaré gaire a trobar-lo. Se t'acut on pot estar allotjat? Algun amic o familiar que visqui aquí a prop?
—La veritat és que no. Els únics amics sou vosaltres. La família...

No li cal acabar la frase perquè tot dos són conscients de les males relacions que, de fa anys, manté en Toti amb la seva família.

—Bé. Vés-hi pensant. Potser ara no hi caus, però si recordes...
—L'hotel Vista Alegre! —crida ella convençuda.
—Com no se m'ha acudit abans —fa ell lamentant-se—. Hi vaig ara mateix. Aquest cop no se m'escaparà tan fàcilment.

Capítol 6

En Terri es recupera amb facilitat i oblida el mal moment que ha passat dins del mercat. Es mira la bossa de la compra amb desconsol: confitura de pera i poma barrejada amb trossos de figues, tot amanit amb quatre fulles d'enciam mal comptades. Sens dubte, aquest no era el plat que volia per dinar.

Sense rumiar-s'ho, llença la bossa a les escombraries i surt decidit camí de l'hotel Vista Alegre. Ja pensarà com omplir l'estómac després de trobar el seu amic.

L'hotel és al capdamunt d'una pujada amb més pendent que els ports de muntanya de la volta ciclista. «Deu ser per algun motiu que es diu Vista Alegre», pensa. Quan hi arriba, suat de dalt a baix i traient la llengua com un gos, entén el perquè. Des de les escales centrals, es divisa una panoràmica privilegiada de la ciutat. El color verd dels arbres més propers contrasta amb la grisor i el soroll que ve de més avall. Al fons de tot, la mar blava i el cel clar dibuixen un paisatge de pel·lícula.

Després de recuperar una mica l'alè i d'eixugar-se la suor del front, entra a l'hotel. El porter, amb uniforme vermell i negre, li obre la porta tot donant-li el bon dia. L'entrada, amb el terra de marbre blanc, és molt espaiosa, lluminosa i assolellada. Una escultura estranya, també de marbre, ocupa la part central de la sala. A banda i banda, darrere les columnes, hi ha sofàs de pell fosca i moltes plantes, algunes de les quals arriben a fer dos metres. El joc de colors és intens. Al fons de tot, a recepció, l'espera una noia d'uns trenta anys, rossa, amb els cabells llisos fins a mitja esquena i amb un somriure d'anunci de pasta de dents.

—Bon dia! —fa ell, en arribar.

El somriure de la noia desapareix quan alça la vista. En Terri no se n'ha adonat, però va molt mal vestit, amb la camisa per fora, la jaqueta tacada de fruita i tot despentinat i suat per la pujada fins a l'hotel.

—Bon dia! —respon ella.
—Buscava en Toti Ballesta. Que em pot dir el número de la seva habitació?
—Ballesta, diu? —pregunta la noia per assegurar-se'n.

Mentre ella consulta el registre d'entrades a l'ordinador, en Terri continua meravellat per la bellesa del lloc. Està tan sorprès que no s'adona de la incomoditat de la recepcionista que, intranquil·la, el mira de reüll per damunt la pantalla. De l'ascensor, surt una parella

de jubilats acompanyada d'un altre empleat —vestit com el primer, però més alt i prim— que els porta les maletes. Discuteixen en veu baixa en un idioma que ve de lluny; de Rússia, diria en Terri. Pel que sembla, les vacances a la capital del modernisme no han estat el que esperaven.

—Ho sento, senyor —l'interromp la recepcionista—. No hi ha ningú amb aquest nom a l'hotel.
—N'està segura?
—No en tinc cap dubte. Ho he comprovat dues vegades. Suposo que Ballesta va amb «b» alta, no?

Ell afirma amb el cap.

—Ho provaré amb «v» baixa, a veure si ho hem escrit malament. La companya del torn de tarda no és d'aquí i potser s'ha equivocat. Va venir de Croàcia quan va esclatar la guerra. Domina molt bé el català, però de vegades encara comet algun error.

En Terri espera, pensatiu, mirant com la noia torna a teclejar. Hi ha alguna cosa en aquesta jove que li fa ballar el cap, però no aconsegueix saber què.

—Em sap greu, però tampoc —diu ella, després de fer les comprovacions pertinents—. I si provem amb el segon cognom? Hi ha molta gent que no vol ser trobada i s'inscriu pel segon cognom.
—I si passar desapercebut és la intenció del meu company, no creu que s'enfadarà si el troba i em diu el número de la seva habitació? —respon en Terri capficat amb el comportament de la recepcionista.
—Jo només volia ajudar-lo. Amb el seu aspecte, m'imagino que per a vostè deu ser molt important trobar el seu amic.

En Terri es repassa de dalt a baix i s'adona de la fila que fa. Abaixa el cap per amagar la cara. S'ha posat vermell com un tomàquet només de pensar quin ridícul està fent tot el matí, abans al mercat i ara aquí.

—Ricart —diu amb decisió—. És el segon cognom.
—Tampoc em surt res. Està segur que el seu company s'allotja al nostre hotel? La cadena en té d'altres repartits per la ciutat.
—Posaria la mà al foc que és aquí. N'estic gairebé segur.
—I fa gaire que hi és?
—Una setmana.
—Ara que hi penso, fa dies que corre per aquí un home molt sospitós. Va mal afaitat i es vesteix sempre de la mateixa manera. No és que tingui cap prejudici jo, però veurà... el nostre hotel és molt selecte i persones com ell no passen desapercebudes.
—Vol dir que fa una pinta estranya, com la meva?
—No s'ho prengui malament, senyor. Jo només vull ajudar-lo. Veient-lo a vostè, se m'acut que pot ser el seu company.
—Encara no té els quaranta, però sembla més gran —l'interromp en Terri fent veure que no està ofès—. Porta una jaqueta fosca que li arriba a mitja cama i unes sabates de punta rodona molt gastades.
—I unes ulleres de pasta gruixuda?
—Exacte! —exclama ell amb alegria—. Justa la fusta!
—Ha marxat aquest matí, a primera hora —respon la noia tirant

per terra les il·lusions d'en Terri—. El director va pensar de fer-lo fora, però no hi ha estat a temps. De tota manera, tampoc sabia si fer-ho. Sembla que l'home en qüestió tenia molts diners... i ja se sap, qui té la cartera plena...

En Terri s'inquieta amb les paraules de la noia. Potser s'han discutit per diners. Però no és ben bé això el que amoïna en Terri. Té la sensació de conèixer la recepcionista o d'haver-hi parlat abans. Aquesta conversa... —va pensant mentre la mira, tot buscant en el seu rostre trets familiars que no aconsegueix trobar.

—Com es diu, senyora... si no és demanar gaire? —pregunta oblidant per un moment que en Toti se li ha tornat a escapar.
—Mina. Bé, em dic Minerva, però tothom em diu Mina, senyor.
—Vol que li sigui sincer, senyora Mina? Tinc la sensació de conèixer-la i no sé de què. No ens hem vist abans en algun altre lloc, vostè i jo?
—Ho sento, senyor, però a mi no em sona...
—Perdoni'm, no volia molestar-la. Sap allò que diuen del *déjà vu*? Allò que un té la sensació de reviure un moment del passat?

La noia, que ha de fer molts esforços per entendre'l, continua mirant-se'l amb sorpresa, fent que sí amb el cap.

—Doncs és exactament la sensació que he tingut ara parlant amb vostè. Li demano disculpes, si l'he molestat. Segur que deu tenir molta feina i jo, aquí fent-li perdre el temps. Li agraeixo el seu ajut. Passi-ho bé.

La noia accepta les disculpes d'en Terri, que fa mitja volta sense treure's del cap l'estona que han estat parlant. A part del *déjà vu*, la conversa li ha semblat força confusa, familiar d'una banda però molt estranya de l'altra. De veritat que en Toti fa una setmana que és aquí, allotjat amb un nom fals? I no s'ha canviat de roba en tots aquests dies? No té la cartera plena de diners, se suposa? I si buscava passar desapercebut, per què la tal Mina ha volgut descobrir-lo? La podria denunciar per no respectar la privacitat de les dades personals dels clients. Que no ho sap, això? Que no fan formació per als empleats abans d'entrar a treballar, en aquest hotel? S'ho gasten tot en mobiliari de luxe i després no els queda res per formar el personal. Ni experiència ni coneixements. L'únic requisit per entrar-hi és tenir bona presència: cal tenir bon tipus i un somriure sempre als llavis. La resta no importa.

Mentre hi dóna voltes, va a asseure's en una de les butaques de l'entrada. Té moltes coses per pensar abans de decidir quin serà el pas següent. Pensa a trucar a la Clara, però decideix no fer-ho. No es pot fiar de la informació de la recepcionista. Hi ha alguna cosa en aquesta noia que li fa mala espina i que el fa dubtar, però no sap què. Quan tingui les coses més clares, ja li trucarà.

A poc a poc, va quedant-se adormit, abrigat per la comoditat de la pell de la butaca, la jaqueta que li cobreix els genolls i l'escalfor dels rajos de sol. Tot d'una, el cansament de la llarga jornada se li fa present. El seu cos li demana repòs, si vol continuar buscant en Toti amb eficàcia.

—Senyor! Perdoni. Que espera algú?

En Terri s'aixeca d'un sobresalt. Una noia amb uniforme de color blau el desperta d'un son molt profund. Sembla la còpia de la Mina, però en moreno. Cabells llargs i llisos de color negre, ulls foscos, pell blanca i rostre amb faccions molt pronunciades. «Deu ser la del torn de tarda», pensa. «La croata que no sap diferenciar una "b" alta d'una "v" baixa. En el fons, un error molt habitual en els parlants d'una llengua acostumats a pronunciar-les diferent».

—Perdoni, senyora —es disculpa ell—. Crec que m'he quedat adormit. Esperava un amic i...
—El senyor Ballesta, oi? M'ho ha dit la meva companya.
—Se'n sap res? —pregunta en Terri esperançat.
—Res de res. Com ja li hem dit, ha marxat aquest matí, poc abans d'arribar vostè. Com que l'hem vist tan desesperat hem decidit deixar-lo dormir, però ara ja comença a ser tard. Necessita una bona dutxa i canviar-se de roba. No es pot quedar aquí tota la tarda. Què diran els clients?

A fora el sol comença a amagar-se. Deuen ser les quatre, calcula en

Terri veient la llum que entra per la finestra.

—Em sap greu, senyora, sento destorbar-los —respon força molest. No es preocupin. Marxo de seguida.

En Terri es posa la jaqueta i es dirigeix a l'entrada. Pensa a demanar un taxi, però no ho fa. No vol res d'aquella colla de rics que el tracten com un sense sostre. Agafarà l'autobús. Se sent massa cansat i fatigat, malgrat la llarga migdiada, com per tornar a peu a casa. A més, els budells li fan soroll. Té la panxa buida i cap nova idea per on continuar buscant el seu amic.

Capítol 7

Després de caminar cinc minuts —també de pujada— i d'esperar gairebé un quart a la parada, en Terri puja a l'autobús. Ara comprèn més bé per què mai ha estat un habitual del transport públic.

—Un amb vint —li demana el conductor—. Un altre motiu de més per continuar agafant el cotxe cada dia.

Mentre es regira les butxaques buscant les monedes, pensa en les cinquanta pessetes que costava la darrera vegada que va agafar l'autobús. És clar que d'allò ja en fa gairebé vint anys, quan estudiava a la universitat. Ell era dels pocs que anava a la facultat amb cotxe. Un accident sense repercussions per a ell, però que va deixar el seu estimat Renault-5 en sinistre total, li va canviar els hàbits durant un parell de mesos. El temps suficient per trobar un altre cotxe, un Golf de segona mà.

Afortunadament, l'autobús va pràcticament buit i no té problemes per seure. Tret d'una dona amb un nen petit —el cotxet del qual és gran com el seu Smart—, un parell de senyores grans que no callen i quatre adolescents maquillades com una mona i disposades a tot en la sessió de tarda de la discoteca, a l'autobús no hi ha ningú més.

En Terri s'asseu al davant de tot, al més lluny possible dels plors de la criatura, les xafarderies de les àvies i els crits d'emoció de les adolescents. Per sort, no té més de sis o set parades, que passarà distret mirant per la finestra. El trànsit és fluid en uns carrers que no trigaran a omplir-se de gent. A la televisió, la pel·lícula de la tarda està a punt d'acabar-se.

A la parada següent, però, puja un jove d'entre vint i trenta anys que s'asseu a prop seu. No té res d'especial, cabells curts, de color castany clar, camisa de quadres amb jaqueta texana i pantalons amples de pana. Ni s'ha fet cap pírcing als llavis, ni porta el cap afaitat, ni es vesteix amb roba elàstica. L'únic que el diferencia de la resta de joves és que llegeix. Aquest fet, per ell mateix, ja és notícia. Però no és això el més sorprenent. El llibre que porta a les mans és *La pista definitiva* del seu amic Toti Ballesta. La seva tercera novel·la després d'un *Vist i no vist* que, com el seu nom indica, va passar desapercebuda per la crítica.

Per culpa del fracàs del segon llibre, en aquest tercer els esforços per canviar són el tret més destacat. En Toti deixava enrere les trames policíaques dels dos primers títols i apostava per una literatura més intimista i personal. Resultat: un nou fracàs de vendes i la promesa de l'editorial de no publicar-li res més si el següent —i l'últim, el van amenaçar— no es venia com el primer.

De fet, *La pista definitiva* era un engany per als lectors fidels a l'estil d'en Toti. Sota un títol que suggeria detectius, assassinats i intri-

gues s'hi amagaven reflexions personals de l'autor que importaven a poca gent. La trama, gens original, era una excusa per parlar de la relació que s'estableix entre l'autor de la novel·la i el seu lector. Una idea sobre la qual feia temps que en Toti pensava, però que mai abans va posar per escrit.

Tot i no tenir interès per al públic, en Terri compartia les idees del seu amic amb molt d'entusiasme, en tertúlies que s'allargaven fins a la matinada. En Toti sempre deia —i així ho reflectia al llibre— que els escriptors escriuen perquè tenen la necessitat de dir alguna cosa. En Terri afegia que eren uns incompresos, que ningú se'ls escoltava i que per això recorrien a la literatura.

—Estic d'acord amb tu, estimat amic —responia en Toti—. Però si nosaltres tenim coses a dir no és menys cert que els que llegeixen els nostres llibres també ens han de dir moltes coses, a nosaltres.

Segons ell, es posava de manifest un diàleg entre lector i escriptor a través del llibre i dels seus personatges. Com reflectien les vendes, reflexions massa profundes que van interessar molt poca gent i que ningú va aconseguir entendre.

Recordant aquestes converses, a en Terri li comencen a suar les mans. Justament, davant hi té un jove interessat per les complexes reflexions d'en Toti, que passa les pàgines sense aixecar el cap del llibre ni per descansar. Si és veritat la teoria que el lector ha de dir coses a l'autor, potser aquest noi ha de dir-li alguna cosa. Potser té un missatge per a ell que ara mateix no sap desxifrar. Potser es tracta d'alguna pista que l'ajudarà a trobar el seu amic.

L'autobús frena de cop alhora que obre les portes per si algú ha de baixar. El noi tanca el llibre, se'l desa a la motxilla i, d'un bot, baixa del bus. En Terri, veient com s'allunya a pas ràpid decideix seguir-lo. Triga uns segons a reaccionar, però surt abans que es tanquin les portes, que per poc no li enganxen el braç.

De sobte, ja a peu de carrer, es troba perseguint un jove que no sap qui és, sense saber on va i sense tenir cap idea de què li dirà si l'atrapa. Són molt a prop d'on viu —li tocava baixar a la parada següent—, un barri on tots els carrers fan pujada, situat a la falda de la muntanya i a prop de la ciutat. Encara que té la panxa buida i que està molt cansat, s'esforça a caminar de pressa per no perdre de vista el jove. Els deu o quinze anys que deu tenir més que el noi no l'ajuden gaire. Però això, a en Terri, ja li costa més de reconèixer-ho.

A cada cantonada el jove gira, ara a la dreta ara a l'esquerra, intentant despistar-lo. També ha accelerat el pas conscient que l'estan seguint. En Terri, ara sí, es posa a córrer com ho ha fet aquest matí al mercat. El cor s'accelera i sent punxades al pit que li recorden l'infart de fa cinc anys. Massa esforços en un dia per a algú poc acostumat a l'esport. Malgrat tot, no afluixa la marxa. Aquest jove té alguna cosa a dir-li del seu amic i no pensa deixar-lo escapar.

La persecució, però, acaba poc després, també com al matí, amb un cop a la cara que el deixa fora de joc. En una de les cruïlles, el noi l'ha esperat amagat darrere la paret per sorprendre'l amb un cop de puny. Quan ell ha tombat no ha pogut reaccionar, ha rebut el cop al mig de la cara i ha caigut a terra. La segona vegada en un mateix dia. I pensar que ell mai s'ha barallat amb ningú, ni quan anava a l'escola...

—Es pot saber per què em segueixes? —li retreu el noi.

El Terri triga uns segons a respondre, mentre es toca el nas per si hi té sang.

—Si vols que et sigui sincer, ni jo mateix ho sé. Però segur que hi ha algun motiu.

El jove es queda amb un pam de nas, sorprès. Tot i la roba bruta i el pentinat, la veritat és que en Terri no té aspecte de lladre ni res per l'estil. Tampoc sembla perillós, si més no ara que és a terra, mig marejat.

—Potser em pots ajudar... tot i que ho dubto —s'excusa en Terri—. Em dic Maximilià Terricabres, Terri per als amics —fa ell, encara des de terra, però allargant la mà—. Maxi sonava a nom d'entrepà d'hamburguesa i formatge de cadena de restaurant nord-americà de baixa qualitat. Poc adient per a un escriptor, seguidor de Pompeu Fabra com jo.

El noi somriu amb el sentit de l'humor d'en Terri, que encara té ganes de fer broma tot i el seu estat lamentable.

—Jo em dic Jordi —respon el jove ajudant-lo a aixecar-se.

En Jordi és un estudiant de filosofia sense pressa per acabar la carrera. Sap que a fora l'espera qualsevol ofici excepte el seu. És amant dels pensadors clàssics i rebel per definició. Fill de família rica, va decidir estudiar el que els pares no volien, només per portar-los la contrària. Faria el servei militar si això servia per fer-los empipar, però anava en contra de la seva ètica. «Si no vols fer dret, com jo, prova amb econòmiques o empresarials», li repetia el seu pare. Finalment, filosofia, amb la promesa d'estudiar una segona carrera si aquesta no el satisfeia.

El jove, acostumat a filosofar, sent curiositat per la història de la desaparició de l'amic del Terri, que resulta que és l'autor del llibre que està llegint.

—El que t'explico no és cap mite de Plató ni cap tragèdia grega —li

retreu ell, que se sent com un pare explicant al seu fill el conte d'abans d'anar a dormir.
—Les coincidències no existeixen —li respon l'estudiant—. Segur que ens hem trobat per algun motiu, però ha de ser vostè qui ho descobreixi.

A en Terri li fa gràcia que ara el tracti de vostè. Després de rebre'l a cops de puny ara fa servir la diplomàcia. Qui diu que l'ordre dels factors no altera el producte?

—Això és molt fàcil de dir, però...
—I encara li diré més —respon el jove visiblement excitat—. No som arquitectes del nostre destí, sinó de tota la humanitat. Són els homes de ciència els que tenen la possibilitat de superar la filosofia neopositivista i la seva lògica associada al capitalisme.
—D'acord, d'acord —el talla ell, que no té cap intenció d'escoltar les consignes antisitema, antiglobalització i antitot del jove filòsof—. Ja he entès el missatge.

En Jordi sembla agafar aire per continuar amb el seu discurs, però en Terri se li avança.

—Ja em trobo millor del cop —diu, donant-li un cop amistós a l'espatlla a mode de comiat—. Així que no vull fer-te perdre més temps. Segur que has d'estudiar per a algun examen, aquesta tarda.

Encara que la trobada amb el jove no li ha aportat cap pista, li ha servit per adonar-se del seu allunyament de la política. No ha votat mai, ni pensa fer-ho. Ni a la universitat —i això que els temps eren moguts— va mostrar el més mínim interès per la cosa pública. «En el fons, la política sempre ha servit únicament per resoldre els problemes dels polítics», pensa.

Capítol 8

Adolorit pels cops rebuts, cansat d'anar amunt i avall i, sobretot, deprimit per no saber res del seu amic, en Terri s'acomiada del jove filòsof i torna cap a casa. No ha parat en tot el dia. Està cansat, amoïnat i angoixat. Però el que més ràbia li fa és tenir la sensació de ser l'únic preocupat per trobar en Toti.

La Lídia i en Pol no s'han dignat ni a trucar-li per saber si hi ha notícies noves. A la Vicky ja no cal demanar-li cap més favor fins dilluns..., potser té por de cansar-se massa si mou un dit durant el cap de setmana. I la Clara... Bé, la Clara és una altra cosa. Tampoc la veu molt capficada per trobar el seu marit i això li fa sospitar que sap més del que diu. Però a ella l'hi perdona tot.

En moments de desesperació com aquest, en Terri pensa que potser és millor deixar-ho estar. Si en Toti ha marxat per voluntat pròpia i no vol tornar no és el seu problema. Si no ha volgut confiar en ell per prendre una decisió tan important potser no es mereix preocupar-se per ell. Si no ha sabut apreciar la seva amistat ni sap valorar la dona que té al costat, potser val més que no torni.

En poc més de deu minuts, arriba a casa. Tot està com ho ha deixat al matí. El primer que fa és anar a la cuina a menjar alguna cosa. La nevera i els armaris són força plens, però no té ganes de posar-se a cuinar. Passarà amb un tros de pa sec que sobrava d'ahir i una mica d'embotit. Que lluny queden aquelles gambes amb xocolata que volia fer per dinar!

Mira el contestador per si hi ha trucades perdudes, però ningú ha deixat cap missatge. De fet, des que té mòbil, només la seva mare li truca al fix, així que no és mala notícia tenir la bústia de missatges buida.

Engega l'ordinador per veure si hi ha més sort amb el correu electrònic. Una dotzena de missatges, però cap d'important. «Quina poca efectivitat tenen de vegades les noves tecnologies», pensa.

Esgotat, s'estira al sofà. No té forces ni per canviar-se de roba, que falta li fa. Intenta tancar els ulls per relaxar-se, però només pot pensar en la maleïda notícia. Un cop rere l'altre se li apareix el titular en majúscules: «Un grup d'escriptors juga a relatar la desaparició d'un company de professió». Tot d'idees li van i li vénen, però cap té la més mínima lògica. Al final, només se li acut una única possibilitat. Com diu el diari, potser només es tracta d'un joc. Si no, no s'entén tant de misteri i confusió.

El cansament i el fracàs en la recerca el deixen exhaust. Potser en Toti no es mereix els esforços que està fent per ell, però no pot evitar-ho. Té els nervis a flor de pell. Tard o d'hora l'ha de trobar si no vol tornar-se boig.

Les llàgrimes li cauen galtes avall i comença a plorar. Han passat tants moments junts —molts d'alegria, d'altres no tant— que no poden acabar-se d'aquesta manera. Es nega a acceptar amb resignació el buit que li ha deixat la desaparició del seu amic. Tant quan va tenir l'infart com quan es va separar de la seva dona, en Toti era al seu costat. Per què ell no pot ajudar-lo ara que s'ha discutit amb la Clara i està passant un mal moment? O potser qui voldria ajudar és la Clara i no pot?

S'eixuga les llàgrimes amb un mocador de roba, d'aquells que ja ningú fa servir. S'adona que no només plora per la pèrdua del seu amic sinó per la ràbia que li provoquen els seus sentiments. La Cesca el va deixar perquè no aguantava el seu caràcter, sempre neguitós i de mal humor. En Toti li va fer costat com ningú. I ara que ell ha marxat, li falta temps per tornar-se a fixar en la dona del seu amic. Al principi de conèixer-se l'atracció va ser mútua, no en té cap dubte. Però les condicions no permetien cap apropament. Ara que gaudien d'una relació sana, sense perills, desapareix en Toti per fer tornar els fantasmes del passat. Són els anys de solter? O, de veritat, un sentiment adormit? O potser ho fa la ràbia de veure que el seu amic no es mereix ser-ho?

Des del sofà, en Terri veu una part de la biblioteca que hi ha davant seu —l'altra part és a dalt, al despatx de les golfes. Centenars de volums, des dels clàssics fins als més contemporanis. Dels autors universals a la literatura de casa. I entre tots ells, quatre relíquies que guarda amb especial admiració: els quatre volums que ha publicat en Toti en la seva curta carrera com a escriptor. Amb molta lentitud, com un ancià —ho deu fer la soledat, això—, s'aixeca del sofà per agafar-los. Malgrat la consistència i les tapes, dures, no són edicions de luxe. L'editorial no és de les grans, malgrat les tirades generoses que habitualment fa. Tot i així, l'important és el de dins. Les paraules que tants cops ha sentit a dir al seu company i que després ha vist reflectides en els seus textos.

Cada títol li suggereix un passat d'enyorança, li recorda moments inoblidables. El debut, *La periodista incompetent*. Els nervis i la il·lusió de veure la seva obra publicada per primera vegada. I com li brillaven els ulls a en Toti en saber que es feia una segona edició. Feia poc que sortien de la facultat i encara tenien la il·lusió de menjar-se el món.

Vist i no vist, que tot i no vendre's gaire li va permetre conèixer la Clara. L'èxit que no arribava en el terreny laboral apareixia a nivell personal. Quins temps, quan sortien tots quatre junts: en Toti i la Clara; ell i la Cesca. Per sort, en Terri i la Clara van convertir en amistat l'atracció inicial que sentien. Tots quatre anaven plegats a tot arreu; eren una gran família, la que cap d'ells tindria mai en un futur.

La pista definitiva, potser l'època més difícil. En Toti veia perillar el seu futur com a escriptor amb un nou fracàs editorial i ell, després d'intentar fer les paus en diverses ocasions, se separava finalment de la Cesca. Entremig, l'atac de cor que ni el va matar ni li va servir per salvar la relació sentimental. El va deixar tocat per sempre més, amb un cor més delicat que una figureta de vidre.

I, per últim, *A casa,* la darrera obra d'en Toti i el retorn de l'autor als seus orígens. I mentre en Toti gaudia d'una segona joventut com a escriptor, ell, mig deprimit i sense idees, s'afartava de medicaments per superar la seva crisi més profunda. No podia entendre com en Toti es decidia a fugir en un moment com aquell, ara que recuperava el seu estil propi, i també les vendes i la popularitat. Què donaria ell per trobar-se en la seva situació!

Encara lamentant-se, agafa a l'atzar un dels llibres i el fulleja. Passa les pàgines una a una, molt lentament, buscant entre línies la resposta a tantes preguntes que no para de fer-se. La cara somrient del seu amic se li apareix a cada frase que ressegueix. Passa un primer capítol, després un segon i encara un tercer. De sobte, però, s'atura. És a la pàgina quaranta-set. Hi ha una frase que l'inquieta.

«Ho sento, senyor», l'interromp la recepcionista. «No hi ha ningú amb aquest nom a l'hotel».

I més avall encara.

«No en tinc cap dubte. Ho he comprovat dues vegades».

En Terri regira entre els seus pensaments. Hi ha alguna cosa familiar en aquestes paraules, però no aconsegueix saber què. Intrigat, continua llegint.

«Tampoc em surt res. Està segur que el seu company s'allotja al nostre hotel? La cadena en té d'altres repartits per la ciutat».

De sobte li ve al cap un pensament clarificador. Les pàgines li brillen als ulls i recuperen el color original que la pols dels anys ha esborrat. En diagonal, segueix el diàleg del capítol buscant només una paraula, la que creu que li donarà la clau per trobar el seu company. Passa mitja plana de diàlegs —ara parla el noi, ara parla la noia— sense trobar res. Després un paràgraf de vuit o deu línies de descripció d'un paisatge que no li interessa en absolut, malgrat estar molt ben redactada. Els ulls salten de paraula en paraula. Per més que ho intenten, no van tan ràpid com en Terri necessita. Passa la pàgina arrugant el paper, impacient per trobar la paraula que busca. Finalment, al principi de la plana següent arriba on desitja.

«Mina. Bé, em dic Minerva, però tothom em diu Mina, senyor».

En Terri respira satisfet. Efectivament, com ja sospitava, és el nom de la recepcionista de l'hotel Vista Alegre, la rossa amb somriure d'anunci de pasta de dents. El mateix Toti, amb els seus textos, li ha donat la informació per trobar-lo. Tanca el llibre per mirar la portada tot i saber-ne el títol de memòria. *Vist i no vist...* Sense deixar de mirar-lo, repassa mentalment la resta de títols: *La periodista incompetent*, *La pista definitiva* i *A casa...* De tan lògic i fàcil, sembla un joc per a nens, com deien els del diari. Com ha estat tan cec per no veure-ho?

Capítol 9

En Terri deixa els llibres damunt la taula i surt corrents al carrer. No para de donar-se la culpa per haver trigat tant a esbrinar-ho. I això que se suposava que coneixia el seu amic. Com li ha pogut passar per alt? Se sent avergonyit. Durant tot el dia, i en diverses ocasions, ha tingut la solució del cas al davant i ell sense adonar-se'n.

Puja al cotxe sense treure's la jaqueta. Pensa conduir a tota velocitat. Malgrat anar abrigat, no tindrà temps de passar calor. I si no, posarà l'aire. Ara no té ni un segon per perdre.

Avança uns metres, però, ha de fer marxa enrere. El cotxe es mou d'un costat a l'altre, com una barca. Ja no recordava la roda punxada... «Collons de jovent», remuga entre dents.

En una maniobra força perillosa —per sort, no ve cap altre cotxe per darrere— deixa l'Smart al seu lloc i agafa altre cop el tot terreny. Potser, per ciutat, li serà més incòmode de conduir, però podrà fer i desfer al seu gust, i imposar la seva llei sense dificultats. No li caldrà treure el mocador blanc per la finestra per fer-se lloc entre els cotxes.

Amb una mà al volant i l'altra entre la botzina i el canvi de marxes, s'obre pas pels carrers a tota velocitat, com en un circuit urbà de Fórmula 1. Es passa els semàfors en ambre, i algun en vermell; entra a les rotondes sense deixar passar els que són dins; i més d'un vianant ha d'esperar a la vorera en veure'l arribar, si no vol sortir malparat i patir un accident. Per uns moments, ha capgirat el codi de circulació: en qualsevol condició, davant de tots els senyals i de tothom, és sempre el tot terreny el que té la prioritat..., ni les ambulàncies d'urgències van tan de pressa com ell.

Quan està a punt d'arribar, però, un policia el fa aturar. Amb tantes infraccions com ha comès no podia ser de cap altra manera; una simple qüestió d'estadística.

—Bon dia, senyor —diu l'agent aixecant la mà a l'alçada del cap, a l'estil més purament militar.
—Sé què dirà, senyor policia —respon ell abaixant la finestra—. I té tota la raó. Però tinc molta pressa...
—Sap que no pot anar a més de trenta, per aquests carrers? —l'interromp inflexible—. Som en una zona per a vianants.
—Ho sé perfectament, però com li deia...
—No hi ha excuses, senyor —el torna a tallar—. La seva infracció és molt greu. No veu que hi ha nens jugant aquí a prop? A veure, ensenyi'm els papers, sisplau.

En Terri, que veu que no hi ha diàleg possible amb l'autoritat, treu els papers, baixa del cotxe i els dóna al policia.

—Vostè vagi prenent nota per a la multa, que jo tinc un afer molt important per resoldre. Si d'aquí a deu minuts o un quart no he tornat, deixi la notificació amb els papers dins del cotxe. La clau, si em vol fer el favor, quedi-se-la. Ja passaré a buscar-la en un altre moment per comissaria.

El policia se'l mira sorprès, sense saber com reaccionar. Aquell ciutadà el tracta de tu a tu, com un amic i, malgrat la falta d'educació i la poca gràcia que li fa tot plegat, és incapaç d'imposar la seva autoritat. On han quedat el respecte i les bones maneres? És que no significa res, avui dia, anar uniformat?

En Terri, sense fer cas de l'estat del policia, que es manté entre la sorpresa i la histèria, comença a córrer carrer avall. Abans de creuar, però, encara té temps de girar-se.

—I si aquí el cotxe molesta la circulació, deixi'l una mica més amunt! No vull que cap company seu em posi una altra multa per aparcar malament!

Quin dia! Ha fet més quilòmetres que en una marató olímpica i encara li queden els darrers metres abans d'arribar a la meta. Creua pel mig dels carrers, fa aturar els vehicles i provoca un col·lapse —i per poc un accident. És igual d'imprudent que amb el cotxe, només que ha canviat la botzina pels crits, per tal d'apartar la gent que se li posa pel mig.

En un temps rècord, arriba al portal de casa de la Clara i d'en Toti. Puja per les escales a corre-cuita, sense esperar l'ascensor, tot i saber que és un quart pis. A cada replà va més a poc a poc, alentint la marxa fins que arriba al darrer, recolzant-se a la barana i a pas de tortuga.

Sense esperar a refer-se, truca amb insistència. La Clara no triga a obrir. Ell, sense saludar, empeny la porta i entra cap a dins. Ella es queda a l'entrada ben sorpresa pel seu comportament.

—Aquestes són maneres d'entrar? —li pregunta de lluny.

En Terri no respon. Entra i surt de les habitacions com qui busca alguna cosa, però tan de pressa que no té temps de trobar res.

—Para, Terri, que m'estàs posant nerviosa! —li recrimina la Clara des del fons del passadís.

Però ell continua la recerca com si res.

—Prou! —torna a insistir ella.

Aquest cop, el crit fa efecte i en Terri para de buscar. De fet, tampoc li queden ja més portes per obrir. Respira amb dificultat mentre es posa la mà al pit. Una altra vegada aquestes punxades. Al final, la desaparició del seu amic el durà a la tomba, pensa entre sospirs.

—Fes el favor de seure, Terri —li mana ella—. Necessites calmar-te.
—El que necessito és una explicació —respon ell.
—Cada cosa al seu temps. No et convé tota aquesta alteració. Hauries de relaxar-te una mica. Ja saps que el metge diu...
—El metge, el metge! Pensava que tu eres diferent. Sembles la meva exdona.

La Clara calla. No vol seguir per aquest camí. L'estat de nervis en què es troba en Terri no li dóna dret a dir aquestes coses.

—M'heu ben enredat tu i el teu home amb el vostre joc. Com m'he pogut empassar aquesta gran mentida? I per més que hi penso, encara no n'entenc els motius. Què volíeu? Posar-me en evidència o matar-me dels nervis i enviar-me directament a l'altre barri, amb un nou infart?

La Clara no respon. Tot i estar acostumada a veure en Terri exaltat, mai abans recordava veure'l així. A més, les seves paraules li han fet molt de mal. Comparar-la amb la seva exdona..., això no s'ho mereix, amb tot el que ha fet per ell des de sempre.

Es miren l'un a l'altre amb tensió. En Terri respira profundament, expulsant la seva ira. La Clara, per la seva banda, s'esforça per no plorar. Sent a dins seu una barreja de ràbia i penediment. Potser en Terri té raó, i el joc ha durat massa.

L'ambient que s'ha creat en aquell menjador és tan tens que l'aire els comença a faltar. La temperatura ha pujat de cop i la sensació és asfixiant. Tants anys d'alguna cosa més que una amistat a punt de trencar-se i cap dels dos amb intenció de fer res per evitar-ho.

De sobte, una veu profunda trenca el silenci i els fa oblidar, per uns moments, els mals pensaments que els rondaven pel cap.

—Només volíem veure't feliç —parla amb decisió.

En Toti ha pronunciat aquestes paraules des de la porta del menjador. Ha aparegut del no-res, com per art de màgia, i es mira el seu amic amb compassió i amb el dubte de saber si la seva intervenció ha arribat a temps. Ell li torna la mirada, però lluny d'alegrar-se es mostra fred i distant.

—Felicitats, amic meu —li diu amb ironia, sense moure's del lloc—. Però no sé si alegrar-me de veure't o trencar-te la cara.

El silenci torna a fer-se present. En Terri es resisteix a cedir. Ha patit molt els dos últims dies i se sent dolgut. Pensar que la seva salut ha estat en perill per un joc d'en Toti i la Clara...

—Admiro la vostra imaginació —continua ell—. Suposo que incloure la notícia al diari no ha estat gaire difícil. Amb la Vicky treballant a la redacció, deu haver estat senzill trobar un petit espai per a la columna. De fet, moltes coses de les que es publiquen són més falses que la vostra notícia. Suposo que ja no venia d'aquí.
—No t'equivoques —respon en Toti—. Hi ha tantes presses per treure el diari cada matí que els controls de redacció són mínims. Cada cop, el diari s'assembla més a una novel·la de ficció que no pas a un mitjà de comunicació. Si tens bons contactes, pots publicar-hi qualsevol cosa.
—Així que la Vicky s'ocupava de publicar la notícia i fer-se la ignorant amb allò de l'agència?
—*La periodista incompetent*, estimat amic, aquest era el seu paper —aclareix en Toti.

En Terri, en un moment, reprodueix mentalment la seqüència dels fets i tot el que li ha passat les darreres hores.

—De veritat eres tu aquell del mercat? —pregunta posant ordre als seus pensaments.
—Sí, senyor —respon en Toti—. Era un risc que havíem de córrer, però al final ens ha sortit bé.
—I aquell home que m'ha tirat a terra d'un cop de puny mentre m'insultava i em tractava de lladre al mig del mercat? —continua en Terri, mostrant molta curiositat—. Aquest també forma part del muntatge?

Tots tres es miren. Se'ls escapa un somriure. En Terri encara porta a la camisa restes de fruita que delaten els problemes que ha tingut al mercat.

—Però, no ha estat res... Una petita caiguda i llestos, no és així? —pregunta en Toti dubtant.
—No sé què dir-te. Aquell home era més gran que aquesta llibreria.
—En tot cas, t'has refet i, com esperàvem, has trucat a la Clara per explicar-li el cas.
—I la seva missió era enviar-me cap a l'hotel Vista Alegre, no?

—Així és, a buscar el *Vist i no vist* que s'amagava entre la gent del mercat.
—El de la jaqueta fosca que li arriba a mitja cama i les sabates de punta rodona, gastades.
—I les ulleres de pasta gruixuda —afegeix en Toti.
—Justa la fusta! —accepta en Terri amb resignació—. Idèntic al llibre i a la conversa que he tingut amb la recepcionista. Em faig creus de com m'ha pogut passar per alt. Tu, actuant com el protagonista de la teva pròpia novel·la, i ella fent d'un dels personatges secundaris.
—La Mina, que en realitat es diu Berta, és una vella amiga de la Clara, que s'ha mostrat molt il·lusionada a participar en el joc. Ha llegit totes les meves novel·les i, per a ella, fer-se passar per un dels meus personatges ha estat un orgull.
—I tan bé que ho ha fet! Ha reproduït els diàlegs de l'obra de forma fidel, com una actriu professional.
—Sí, es nota que és una gran aficionada al teatre. De tota manera, crèiem que amb l'episodi de l'hotel seria suficient, però veig que estàvem equivocats. La companya del torn de tarda ens ha trucat i ens ha dit que marxaves sense sospitar res.
—Sí, però no calia una prova més i un altre cop de puny de part del jove filòsof —els recrimina ell.
—El jove filòsof? —pregunten alhora tots dos, mirant-lo estranyats.
—Sí, *La pista definitiva*... Que no sabeu de què us parlo?

En Toti i la Clara continuen sense entendre res. No saben a qui es refereix ni de quina pista els parla.

—De fet, la teva visita ens ha sorprès bastant —explica la Clara, intentant aclarir els fets—. No t'esperàvem fins demà.
—Veient que marxaves de l'hotel sense adonar-te de res —afegeix en Toti—, et volíem donar *La pista definitiva* aquesta nit.
—Ah, sí? I en què consistia, si es pot saber? —pregunta en Terri encuriosit.
—Per fer-ho necessitàvem la col·laboració de la Lídia. Si no li diem el contrari, abans d'anar a dormir t'escriurà un correu amb un missatge ocult on s'amaga la pista.

—Mai he sigut bo en les endevinalles. Segur que llegeixo el correu i em quedo igual.
—No sé quina era la idea de la Lídia —diu la Clara—, però segur que deu ser un joc de paraules fàcil d'encertar.
—Com n'estàs tan segura? —pregunta en Terri.
—Bé, diguem que s'ha inspirat en un llibre de detectius de la seva filla petita. Suposo que fins aquí hi arribes, no?
—En tinc els meus dubtes —afegeix ell—. De tota manera, no ho sabrem mai, perquè ja no caldrà. He descobert el vostre joc sense necessitat de totes les pistes.

Dit això, en Terri els explica l'episodi de l'autobús, la persecució del jove i, finalment, la seva conversa.

—La trobada amb aquest noi no té res a veure amb nosaltres! —exclama en Toti sorprès—. Tu no agafes mai un transport públic si no és un taxi. Almenys fa vint anys que no vas amb bus! Com volies...
—Doncs ningú diria que no és cosa vostra. El jove encara és més bon actor que la Mina. Amb la seva actuació ha reproduït el missatge de *La pista definitiva* amb tota fidelitat. Ni fet expressament. Però jo sóc tan curt que tampoc ho he sabut veure.
—I aleshores, com m'has trobat?
—Fullejant els teus llibres he vist clara la seqüència de pistes. Primer *La periodista incompetent*, després el *Vist i no vist* i finalment *La pista definitiva*, que en el meu cas ha estat la de l'estudiant de filosofia.
—Només et quedava venir *A casa* per tancar el cercle.
—Per això sóc aquí, amic meu.

Els dos companys es miren amb satisfacció. Enrere han quedat els retrets i les cares llargues i ja cap dels dos està enfadat.

—I punxar-me la roda del cotxe i trencar-me el retrovisor —salta en Terri—, també formaven part del pla? Us penso passar la factura, digueu el que digueu.
—Pel que veig —respon en Toti rient—, t'han sortit molts més entrebancs dels que et vam posar en un principi.

LA PERIODISTA INCOMPETENT
VIST I NO VIST
LA PISTA DEFINITIVA
A CASA

Capítol 10

Després de tantes sorpreses, en Terri necessita un petit descans. De fet, a tots tres els cal relaxar-se una mica. Han estat moltes emocions en poques hores i necessiten pair-les.

—Seu, Terri —li diu la Clara—. Vols prendre alguna cosa?
—Un conyac —respon ell.

La Clara se'l mira amb cara de dir que no. En Terri se n'adona i quan està a punt de saltar, en Toti l'atura.

—Posem-li el que demana, Clara. S'ho mereix. És el mínim que podem fer per ell, després de tot el que li hem fet passar.

Un cop té la copa entre les mans, en Terri torna a recordar els últims dos dies. Malgrat que tot ja és més clar, continua tenint alguns dubtes.

—Però, per què, tot aquest muntatge? —els pregunta—. Ni us heu discutit per diners, ni passeu per cap crisi de parella. Volíeu fer-me tornar boig o què?
—No, estimat amic. Aquí el que té una crisi ets tu. I no de parella, sinó d'idees. Fa mesos que no escrius res i volíem donar-te un cop de mà.

En Terri comença a veure el final del túnel.

—Hi ha gent que pensa —continua en Toti— que es pot fer un bon llibre assegut davant l'ordinador, tan sols documentant-se. Avui dia, amb Internet, encara és més fàcil.

En Terri se'l mira sense entendre on vol anar a parar. El deixa parlar mentre s'acaba el conyac.

—Cada dia veig més clar, però, que això és fals. Per mi el bon escriptor primer viu i després escriu. Amb tot el que has viscut aquests dos dies, crec que tens una molt bona història per explicar i agradar als lectors.

En Terri s'emociona amb les paraules del seu amic. I pensar que per uns moments ha dubtat de la seva amistat. I que fins i tot s'acostava amb perill a la Clara. Se sent avergonyit i no sap si donar les gràcies o directament demanar perdó.

En Toti li somriu. Sap perfectament el que pensa en Terri, però no vol sentir cap disculpa. Potser ell tampoc ha fet servir el millor mètode per ajudar-lo.

—Vols veure els titular del diari de demà? —li proposa en Toti.
—Crec que no —respon en Terri—. Només de pensar en una nova notícia m'agafen tots els mals. Un altre joc com aquest i m'hi quedo, t'ho prometo.

En Toti surt del menjador i va cap al despatx on té l'ordinador. Mentre busca un arxiu entre les carpetes, engega la impressora. El document s'imprimeix amb rapidesa. Només és una frase. Quan torna al menjador, el dóna a en Terri.

—Té —li diu—. No és gran cosa, només el titular. Esperava la teva visita per escriure la notícia sencera.

En Terri llegeix amb atenció el paper que el seu amic li ha donat.

Un joc entre escriptors acabarà per convertir-se
en la gran novel·la del proper premi literari Sant Jordi.

Si ho diu en Toti, qui és ell per posar-ho en dubte?